and

am

are

after — at

about — ate

again — any

ask — another

asked — a

a — a

a

a b c d e f g h i j k l m

be
being
been
before
baby   ball
babies   boy
brother by
b   b
b   b
↓   ↓
↓   ↓

because
book
birthday
b
b
↓
↓

a b c d e f g h i j k l m

b

b

b

n o p q u r s t u v w x y z

can
can't
could
couldn't
cat
cow
c
c

come
coming
came
c
c

call
called
cry
c
c

a b c d e f g h i j k l m

c _____
c _____
c _____
c _____

{child
{children
ch
ch

chocolate

ch

ch

Christmas

n o p q u r s t u v w x y z

do

doing

done

do not

don't

d

d

dad

day

down

d

d

did not

didn't

d

d

a b c d e f g h i j k l m

d

d

d

Dd

nopqurstuvwxyz

eat

eating

(ate)

every   end   eye

everybody   each   ear

everything   e   early

e   e   e

e   e   e

e   e

e   e

a b c d e f g h i j k l m

for
from
first
fly
f
f

find
found
f
f

friend
f
f

n o p q u r s t u v w x y z

Ee

Ff

girl

go

goes

going

gone

g

g

g

garden

g

g

get

getting

got

g

g

a b c d e f g h i j k l m

has   happy
had   he
have   him
having   his

have not   her
haven't   home   hers
h   house   hair
h   h   h
               h   h

n o p q u r s t u v w x y z

I

is
is not
isn't

I am
I'm
i
i
↓
↓

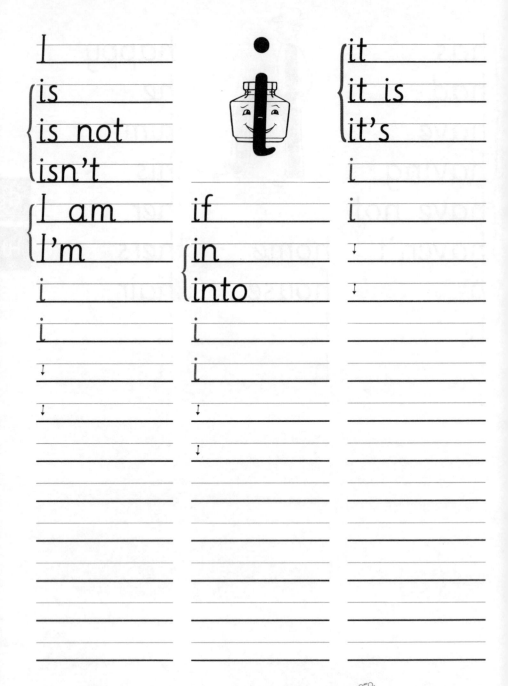

if
in
into
i
i
↓
↓

it
it is
it's
i
i
↓
↓

a b c d e f g h i j k l m

just
jump
jumped
j
j

j
j

j
j

n o p q u r s t u v w x y z

keep
kept
kitten
kitchen
k
k
↓
↓

k
k
↓
↓

know
knows
knew
k
k
↓
↓

abcdefghijklm

little love
large lovely
like live
liked lived
last light l

l l l
l l l
l l l
l l l

n o p q u r s t u v w x y z

me   **m** mum

my   mummy

many   mother

more { made m

morning { make m

m   { making ↓

m   m   ↓

↓   m

↓   ↓

     ↓

a b c d e f g h i j k l m

now
next
never
nice
n
n

new
night

{ no
not
nothing
n
n

n o p q u r s t u v w x y z

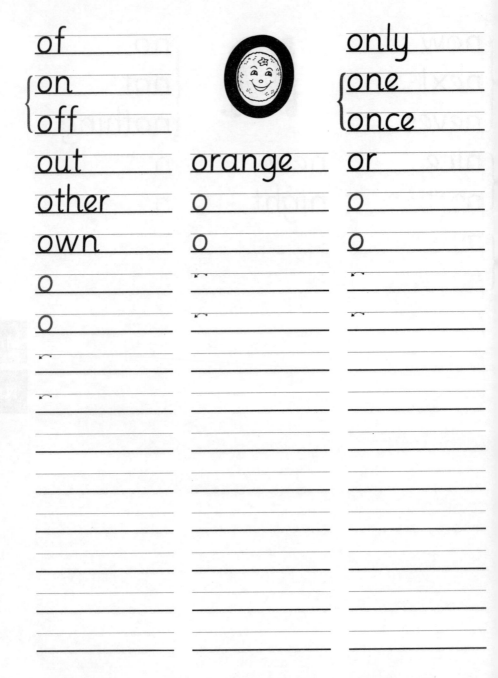

of		only
{ on		{ one
{ off		{ once
out	orange	or
other	o	o
own	o	o
o		
o		

a b c d e f g h i j k l m

play
played
playing
party
parties
put
putting
p
p

poor
puppy
p
p

people
place
pretty
p
p

p

Oo

Pp

n o p q u r s t u v w x y z

p

p

p

↓

↓

a b c d e f g h i j k l m

qu

quite
quick
quickly
question

qu

qu

queen

qu

qu

quiet
quietly

qu

qu

Qu

qu

n o p q r s t u v w x y z

read
reading
have read
red
ride
rode
road
r
r

right
room
rain
r
r

run
running
ran
r
r

a b c d e f g h i j k l m

said

say

says

school

see

seen

saw

sea

s

s

some

something

sometimes

sister

s

s

story

soon

small

snow

s

s

Ss

n o p q u r s t u v w x y z

s

s

s

abcdefghijklm

s _____

s _____

s _____

_____

_____

she _____

{ shop _____

{ shopping _____

sh _____

sh _____

should _____

show _____

shoe _____

sh _____

sh _____

Sh
sh

n o p q u r s t u v w x y z

take

taking

took

tell

told

today

t

t

↓

↓

teacher

t

t

↓

↓

to

too

two (2)

t

t

↓

↓

a b c d e f g h i j k l m

the

they
their
theirs

they are
they're
th

th

↓

↓

this

these
those

them
th

th

↓

↓

there

think
thought
th

th

↓

↓

Tt

Th
th

n o p q u r s t u v w x y z

up

upon

us

u

u

↓

↓

u

under

u

u

↓

until

u

u

↓

↓

↓

very

visit

v

v

↓

↓

v

v

v

↓

↓

v

v

↓

↓

↓

a b c d e f g h i j k l m

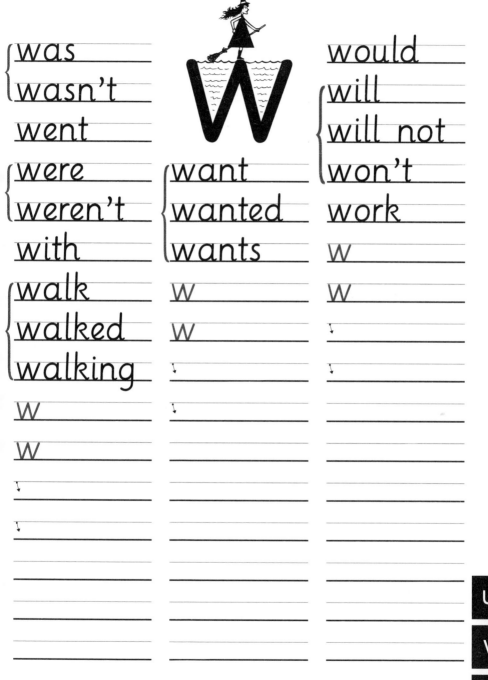

was
wasn't
went
were
weren't
with
walk
walked
walking
W
W

want
wanted
wants
W
W

would
will
will not
won't
work
W
W

n o p q u r s t u v w x y z

Uu
Vv
Ww

W

W

W

a b c d e f g h i j k l m

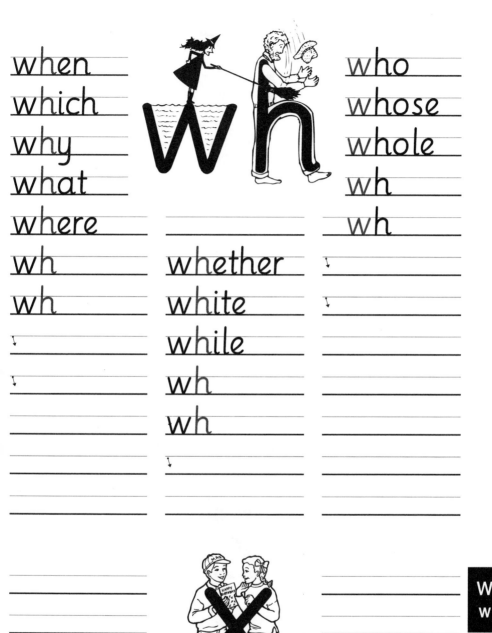

when
which
why
what
where
wh
wh

who
whose
whole
wh
wh

whether
white
while
wh
wh

Wh
wh

Xx

n o p q u r s t u v w x y z

you
your
yours
yourself
you are
you're
y
y

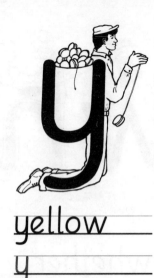

yellow
y
y

year
years
yesterday
y
y

zoo
zebra
z
z

z
z

n o p q u r s t u v w x y z

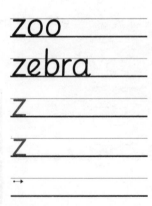